La dama del árbol

LA HISTORIA REAL DE CÓMO UNA MUJER AMANTE DE
LOS ÁRBOLES CAMBIÓ UNA CIUDAD PARA SIEMPRE

Escrito por H. Joseph Hopkins
Ilustrado por Jill McElmurry
Traducción de Inma Serrano

Beach Lane Books 🌲 NUEVA YORK   LONDRES   TORONTO   SÍDNEY   NUEVA DELHI

KATHERINE OLIVIA SESSIONS creció en los bosques del norte de California. Recogía hojas de robles y olmos. Coleccionaba agujas de pinos y secuoyas. Y las trenzaba con flores para hacer collares y pulseras.

Corría la década de 1860, y las niñas de la parte de la ciudad en la que vivía Kate no debían ensuciarse las manos.

Pero Kate se las ensuciaba.

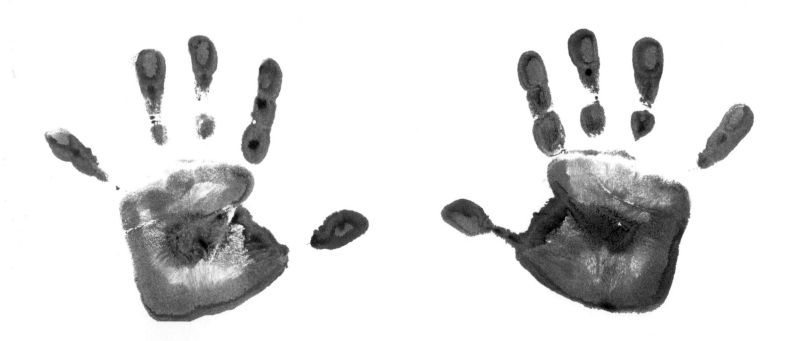

Kate prestaba mucha atención en la escuela. Aprendió a escribir y a contar. Memorizaba los poemas y los cuentos que leía. Pero, ante todo, le gustaba estudiar el viento y la lluvia, los músculos y los huesos, las plantas y los árboles. Especialmente los árboles.

A la mayoría de las niñas se las desanimaba para que no estudiaran ciencias.

Pero Kate no se desanimó.

Quercus agrifolia

Ulmus americana

Sequoiadendron giganteum

Kate sentía que los árboles eran sus
amigos. Le encantaba la forma en que se
extendían hacia el cielo y cómo sus ramas
se estiraban para captar la luz. A Kate, los
árboles le parecían paraguas gigantes que los
resguardaban a ella y a los animales, pájaros
y plantas que vivían en el bosque.

No todo el mundo se siente como en casa
en el bosque.

Pero Kate sí.

Cuando Kate creció, se fue de casa para estudiar ciencias en la universidad. Observó tierra e insectos a través de un microscopio. Aprendió cómo las plantas producían alimentos y cómo bebían agua. Y estudió árboles de todo el mundo.

Ninguna mujer se había graduado de la Universidad de California con un título en ciencias.

Pero en 1881, Kate lo hizo.

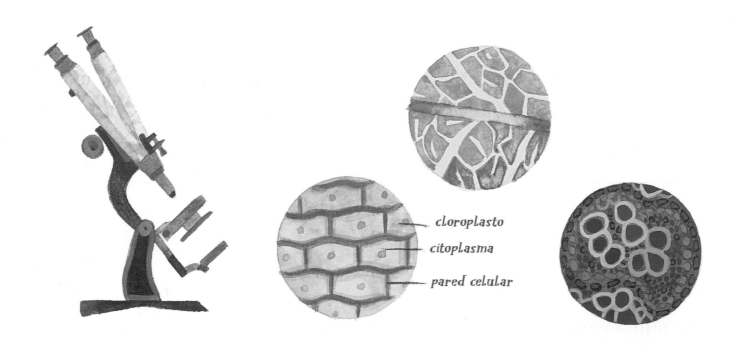

cloroplasto

citoplasma

pared celular

Después de graduarse, Kate aceptó un puesto de trabajo en el sur de California. Cuando su barco atracó en San Diego, vio que su nuevo hogar era una ciudad desértica.

Kate nunca pensó que viviría en un lugar con tan pocos árboles.

Pero ahora lo iba a hacer.

Kate comenzó su trabajo de maestra. También era la subdirectora de la escuela, por lo que tenía que asegurarse de que todos siguieran las reglas.

Kate añoraba estudiar ciencias y no estaba segura de querer permanecer en el trabajo.

Pero durante dos años, lo hizo.

Desde su escuela, Kate veía City Park, la «ciudad-parque», en las colinas sobre la ciudad. Se la llamaba «parque», pero no lo parecía. Era donde la gente llevaba a pastar a las vacas y tiraba basura.

La mayoría de la gente de San Diego creía que allí jamás podrían crecer árboles.

Pero Kate sí

Con el amor de Kate por los bosques, pensó que San Diego necesitaba árboles más que cualquier otra cosa. Así que dejó la enseñanza para pasar a ser jardinera. Sabía que debía plantar árboles que pudieran vivir en tierra seca con mucho, mucho sol.

A sus amigos les preocupaba que Kate no encontrara árboles así.

Pero ella lo hizo.

Yuca

Eucalipto

Pino carrasco

Cirio

Árbol carcaj

Jacarandá

Ciprés italiano

Pino de cerdas cónicas

Pimentero brasileño

Palmera

Árbol de
coral desnudo

Árbol sangre de dragón

Kate se convirtió en rastreadora de árboles. Escribió cartas a jardineros de todo el mundo y les pidió que le enviaran semillas que pudieran crecer en un desierto. También viajó al sur hacia México para buscar árboles a los que les gustara el cálido clima seco y las colinas y cañones empinados.

No todos saben cómo rastrear árboles.

Pero Kate sí sabía.

Pronto, los árboles de Kate se plantaron a lo largo de las calles, alrededor de las escuelas y en pequeños parques y plazas de toda la ciudad. La gente compraba árboles del vivero de Kate y los plantaba en sus patios.

Desde olmos y robles hasta eucaliptos y palmeras, para el cambio de siglo, los jóvenes árboles del vivero de Kate crecían en cada rincón de San Diego.

La mayoría de la gente no creía que un pueblo del desierto pudiera sustentar tantos árboles.

Pero Kate sí.

Entonces, en 1909, los líderes de la ciudad anunciaron que en 1915 vendría a San Diego una gran feria llamada Exposición Panamá-California. La feria se llevaría a cabo en City Park, que ahora se llamaba Parque Balboa. Kate sentía que al Parque Balboa todavía le hacían falta más árboles, miles más, para lucir hermoso y dar sombra a los visitantes que asistirían a la feria.

Eran demasiados árboles para que Kate los plantara por sí misma, pero sabía que muchas personas podrían hacerlo juntas. Les pidió a sus amigos que trajeran a sus amigos al parque y participaran en fiestas para plantar árboles. Una y otra vez, la gente se ofreció para ayudar.

Esos voluntarios no estaban seguros de poder plantar suficientes árboles.

Pero en poco tiempo, lo hicieron.

Cuando abrió la feria, San Diego estaba lista. Millones de árboles y plantas colmaban el Parque Balboa. La feria tenía tantos visitantes que permaneció abierta por dos años en vez de uno. La gente vino de todas partes para ver las atracciones y pasear a la sombra fresca.

Los feriantes no podían creer que San Diego tuviera jardines tan magníficos.

Pero gracias a Kate, los tenía.

En los años posteriores a la feria, Kate recibió muchos premios por su trabajo, y la gente la empezó a llamar la madre del Parque Balboa. Continuó con la jardinería y la plantación de árboles hasta su muerte en 1940.

En aquel entonces, pocos podrían haberse imaginado que San Diego se convertiría en la ciudad exuberante y frondosa que es hoy.

Pero a lo largo de todo ese tiempo, año tras año, Katherine Olivia Sessions sí se lo imaginó.